L'heure des histoires

Au moment de l'**heure des histoires**, tandis que l'un regarde les images et l'autre lit le texte, une relation s'enrichit, une personnalité se construit, naturellement, durablement.

Pourquoi ? Parce que la lecture partagée est une expérience irremplaçable, un vrai point de rencontre. Parce qu'elle développe chez nos enfants la capacité à être attentif, à écouter, à regarder, à s'exprimer. Elle élargit leur horizon et accroît leur chance de devenir de bons lecteurs.

Quand ? Tous les jours, le soir, avant de s'endormir, mais aussi à l'heure de la sieste, pendant les voyages, trajets, attentes… La lecture partagée permet de retrouver calme et bonne humeur.

Où ? Là où l'on se sent bien, confortablement installé, écrans éteints… Dans un espace affectif de confiance et en s'assurant, bien sûr, que l'enfant voit parfaitement les illustrations.

Comment ? Avec enthousiasme, sans réticence à lire « encore une fois » un livre favori, en suscitant l'attention de l'enfant par le respect du rythme, des temps forts, de l'intonation.

Pour William,
Edward et Alice Cowling

ISBN : 978-2-07-063225-1
Titre original : *A Dark, Dark Tale*
Publié par Andersen Press Ltd., Londres
© Ruth Brown, 1981, pour le texte et les illustrations
© Éditions Gallimard Jeunesse,
1981, pour la traduction française,
2010, pour la présente édition
Numéro d'édition : 249664
Loi n° 49-956 du 16 juillet 1949
sur les publications destinées à la jeunesse
1° dépôt légal : avril 2010
Dépôt légal : février 2013
Imprimé en France par I.M.E.

Ruth Brown

Une histoire sombre, très sombre

GALLIMARD JEUNESSE

Il était une fois un pays sombre,
très sombre.

Dans ce pays,
il y avait un bois sombre,
très sombre.

Dans ce bois,
il y avait un château sombre,
très sombre.

Devant ce château,
il y avait une porte sombre,
très sombre.

Derrière cette porte,
il y avait une salle sombre,
très sombre.

Dans cette salle,
il y avait un escalier sombre,
très sombre.

En haut de cet escalier,
il y avait un couloir sombre,
très sombre.

Dans ce couloir,
il y avait un rideau sombre,
très sombre.

Derrière ce rideau,
il y avait une chambre sombre,
très sombre.

Dans cette chambre,
il y avait une armoire sombre,
très sombre.

Dans cette armoire,
il y avait un coin sombre,
très sombre.

Dans ce coin,
il y avait une boîte sombre,
très sombre.

Et, dans cette boîte, il y avait…
UNE SOURIS !

L'auteur-illustrateur

Ruth Brown est née en 1941 en Angleterre. Déjà petite fille, elle aimait dessiner et l'art l'intéressait. Elle s'engage dans cette voie et fait ses études au prestigieux Royal College of Art de Londres. Elle travaille à mi-temps à la BBC, où elle réalise les décors d'émissions pour la jeunesse. Une amie illustratrice, Pat Hutchins, lui conseille d'essayer de faire un livre pour enfants. Son succès est immédiat et ne s'est jamais démenti depuis.

Elle publie un ou deux livres par an, travaillant en vraie peintre, avec une grande concentration et un grand souci du détail.

Elle vit avec son mari, l'illustrateur Ken Brown, dans la banlieue de Londres. Ils sont grands-parents d'un petit Charlie Brown.

Dans la même collection

n° 1 *Le vilain gredin*
par Jeanne Willis
et Tony Ross

n° 2 *La sorcière Camembert*
par Patrice Leo

n° 3 *L'oiseau qui ne savait
pas chanter*
par Satoshi Kitamura

n° 4 *La première fois
que je suis née*
par Vincent Cuvellier
et Charles Dutertre

n° 5 *Je veux ma maman !*
par Tony Ross

n° 6 *Petit Fantôme*
par Ramona Bădescu
et Chiaki Miyamoto

n° 7 *Petit dragon*
par Christoph Niemann

n° 8 *Une faim de crocodile*
par Pittau et Gervais

n° 9 *2 petites mains
et 2 petits pieds*
par Mem Fox
et Helen Oxenbury

n° 10 *La poule verte*
par Antonin Poirée
et David Drutinus

n° 11 *Quel vilain rhino !*
par Jeanne Willis
et Tony Ross

n° 12 *Peau noire peau blanche*
par Yves Bichet
et Mireille Vautier

n° 13 *Il y a un cauchemar
dans mon placard*
par Mercer Mayer

n° 14 *Clown*
par Quentin Blake

n° 19 *La belle lisse poire
du prince de Motordu*
par Pef

n° 22 *Gruffalo*
par Julia Donaldson
et Axel Scheffler